DE TWAALFDE MAN

Hilde Vandermeeren | Marjolein Pottie

De twaalfde man

UITGEVERIJ
DE EENHOORN

Voor Tom
HV

AVI 5

CIP-gegevens: Koninklijke Bibliotheek Albert I
Tekst: Hilde Vandermeeren
Illustraties en omslagtekening: Marjolein Pottie
Druk: Oranje, Sint-Baafs-Vijve

© 2004 Uitgeverij De Eenhoorn bvba, Vlasstraat 17, B-8710 Wielsbeke
D/2004/6048/286
NUR 282
ISBN 90-5838-231-1

NEDERLANDSE
KINDERJURY
2005

Bezoek onze website: www.eenhoorn.be

Een auto vol woorden

Papa klapt de kofferbak van de auto dicht.
'Heb je alles, Marco?
Je voetbalschoenen?
En je beenbeschermers?'
Ik knik driemaal.
Papa start de auto.
Mama duimt naar me.
'Zet 'm op, Marco. Veel plezier!'
Ze wuift ons na.
We rijden de straat uit.
Ik zit net achter papa.
Hij kijkt in de spiegel.
Zo praat hij met mij.
'Denk erom. Het is jouw bal, ga ervoor.
Gebruik je rechtervoet om te trappen.
Die linker van jou is nog te zwak.'
Ik kijk naar mijn voeten.
Welke van de twee zit er alweer rechts?
Papa praat verder.
Het is net alsof de radio aan staat.
'Loop je vrij. Snelheid, daar komt het op aan.'
Ik draai mijn raampje open.
Er zijn te veel woorden in de auto.

Pleister is rechts

Ik sta in de kleedkamer.
Papa is er ook.
Hij strikt mijn veters.
'Volg het spel,' zegt hij. 'Zoek de zwakke schakel.
Kies de juiste flank. Ik roep het je wel toe.'
Ik slik.
Papa verdwijnt.
'Hoe doe jij dat?' vraag ik aan Korneel.
'Hoe doe ik wat?'
'Hoe ken jij het verschil tussen links en rechts?'
'Nou gewoon,' zegt Korneel.
Hij steekt zijn duim op.
Om de duim zit een pleister.
'Pleister is rechts,' zegt Korneel.
Ik kijk naar mijn duim.
Korneel heeft nog een pleister over.
Dat is wel fijn. Pleister is rechts.
Alles aan de kant van de pleister is rechts.
Mijn voet, mijn hand. De spelers die daar lopen.
En na de pauze ook.
Want dan draait het veld.
Dan trappen we naar het andere doel.
Maar de pleister draait met me mee.
Pleister is dus altijd rechts.

De twaalfde man

We lopen het veld op.
Papa houdt me nog even tegen.
'Ik ben de twaalfde man,' zegt hij.
'Ik brul je naar de top.'
Maar ik wil niet naar de top.
Ik wil gewoon het veld op.
De scheidsrechter fluit. Het spel begint.
Ik krijg de bal voor mijn voeten.
'Ga linksvoor!' hoor ik papa roepen.
Ik kijk naar mijn duim.
Pleister is rechts.
De bal moet dus de andere kant uit.
Ik geef de bal een flinke lel.
Het leer gaat het zijnet in.
'Verkeerde voet!' roept papa.
Korneel loopt op me af.
'Is dat jouw pa die zo brult?'
Ik knik.
Alleen de mama van Jens is nog erger.
Die spuwt giftige woorden naar de scheidsrechter.
We zwermen om de bal, als vliegen om de stroop.
'De rechterflank is vrij!' roept de twaalfde man.
Ik kijk naar mijn duim.
Snel, snel!
Ik loop op het doel af.
Ik trap met de pleistervoet.
De bal is binnen. Dat hoor ik aan papa.

Kleiner dan een barkruk

We zitten in de kantine.
De wedstrijd is voorbij.
Wij maakten meer doelpunten dan de andere ploeg.
Papa zit op een barkruk.
Ik sta ernaast.
Ik krijg cola en chips van papa.
'Ik wist het wel,' lacht hij.
'Die zoon van mij heeft goeie benen.'
Ik groei.
Ik toren hoog boven de barkruk uit.
'Volgende week maak je er zeker twee,' zegt papa.
'Dat kan niet anders, met zo'n goeie benen.'
Hij klopt me op mijn schouder.
Zijn hand weegt loodzwaar.
Ik word opeens weer kleiner.
Veel kleiner dan een barkruk.

Blinde mol

De mama van Jens staat naast papa.
'Die scheidsrechter is blind,' zegt ze.
'Zo blind als een mol.
Iemand trok Jens aan zijn trui.
En dat zag die mol niet eens.
Anders had Jens ook gescoord.'
De papa van Korneel zucht.
Hij nipt van zijn koffie.
'Ach, het is maar een spel,' zegt hij.
'Korneel vindt het gewoon leuk om tegen die bal te
trappen.'
Papa geeft me een knipoog.
'Volgende keer komt mama kijken.
Dan moet ze niet werken.
Laat haar maar zien wat jij allemaal kunt met die bal.'
Ik krijg mijn cola niet meer op.
Mijn buik doet vreemd.
Er ligt een voetbal op mijn maag.

Voetbal op de maag

Papa rijdt de auto de garage in.
Mama steekt haar hoofd om de hoek.
'Was het leuk?' vraagt ze.
'Marco maakte een doelpunt,' zegt papa.
'En was het ook leuk?' wil mama weten.
Ik knik.
Ik weet niet hoe ik het hun moet zeggen.
Van die bal die op mijn maag ligt.
Van links en rechts.
En hoe moeilijk dat wel is.
Denken om de juiste voet.
Denken om de juiste kant.
Het doel niet vergeten.
Ik voetbal meer met mijn hoofd
dan met mijn voeten.
Ik word er heel moe van.
En een beetje bang ook.
Van die twaalfde man.
En van zijn twee doelpunten.

Gaten in de muur

'Straks trappen Marco en ik een balletje,' zegt papa.
'Moet dat nou echt?' vraagt mama.
'Ja. Die linkervoet moet beter.
Dat kan alleen door veel te oefenen.'
Opeens lijkt alles op een voetbal.
Het uurwerk aan de muur.
De gehaktballen op mijn bord.
En het hoofd van papa ook.
Papa neemt me mee naar de tuin.
Hij legt een bal voor me neer.
Het is er een van echt leer.
'Trap maar, Marco. Alleen met links.'
Ik wacht even. De pleister is weg.
'Kom op! Je weet toch wat links is?'
Papa wijst naar de juiste voet.
'Trap maar.'
En nog eens. En nog eens.
En nog eens. En nog eens. En nog eens.
Ik wou dat de muur vol grote gaten zat.
Dan kon ik de bal keihard de tuin uit trappen.
En dan kwam hij nooit meer terug.

Goeie mop

Mama brengt me naar de training.
Korneel is er al.
Jens staat bij zijn mama aan de zijlijn.
Ze heeft een mond die nooit stilstaat.
'Opwarmen!' roept Miel, de trainer.

Hij leert ons beter te voetballen.

We lopen rondjes op het veld.

Dat is heel saai.

Maar het maakt onze benen sterker.

Van elk rondje krijg je er een spier bij, weet Miel.

Ik vraag me af waarom hij dan zo'n dunne benen heeft.

Ik loop naast Korneel.

Jens zit ons op de hielen.

We puffen wolkjes uit, alsof we een sigaretje roken.

'Ken je die mop van die twee tomaten, Marco?' hijgt Korneel.

Er dampt een grote wolk uit zijn mond.

'Vertel op!' grijns ik.

Korneel is de beste moppentapper van de hele wereld.

Twee tomaten lopen over de weg.

Er komt een vrachtwagen aan.

Die rijdt over ze heen.

'Help!' roept de ene tomaat naar de andere,

'Ik zit in de puree!'

Ik lach me een bult.

Korneel buldert met me mee.

Alsof hij die mop ook net voor het eerst heeft gehoord.

Hamburger

Achter ons klinkt het balken van een ezel.
Ik draai me om. Ik zie geen ezel.
Het is de lach van Jens.
We lopen langs de plaats waar zijn mama staat.
'Hou op, Jens!' roept ze hem toe.
'Een training is geen lachertje.
En denk aan de hamburger.'
Het balken houdt meteen op.
Korneel begint aan zijn volgende mop.
Ze gaat over een vliegend ei.
Ik luister maar met een half oor.
Ik denk aan de hamburger.
Wat doet een hamburger op een voetbalveld?
Dat mag Jens me straks even uitleggen.
We rusten een poosje uit in het gras.
Ondertussen zet Miel de kegels op een rij.
Een beetje verderop staat de mama van Jens.
Ze houdt ons in de gaten.
Ik voel haar ogen branden in mijn rug.
Geen moppen op het veld, zeggen die ogen.
Ik ben blij als de ballen eraan komen.
We slalommen om de beurt met een bal tussen de
kegels door.
Daarna leren we passen en dribbelen.
'Tijd voor een wedstrijdje!' roept Miel.
Hij deelt ons in twee groepen in.
Korneel heeft een rood shirt. Jens ook.

Ik trek een wit shirt over mijn hoofd.
Korneel loopt op me toe.
'Ik trap je het veld af,' zegt hij met zijn laagste stem.
Hij lacht.
Ik ben helemaal niet bang.
Korneel trapt niemand het veld af.

Nog meer hamburgers

Miel staat verderop.
Zijn armen lijken wel molenwieken.
Hij doet iets voor aan de jongens die het doel in
moeten.
Jens trappelt naast mij in het rond.
Ik waag mijn kans.
'Hoe zit dat met die hamburger?' vraag ik hem.
Jens schrikt op. Hij antwoordt niet.
'Waarom zeg je niks?'
'Daarom.'
Hij werpt een blik op de zijlijn.
'Ik vertel het heus niet verder,' probeer ik.
Jens draait zich om.
'Straks gaan mijn mama en ik iets eten,' zegt hij.
'En voor elk doelpunt dat ik maak, krijg ik een
hamburger.'
Miel loopt het speelveld op.
Hij heeft zijn fluitje al in zijn mond.
Jens maakt zich klaar om zijn plaats in te nemen.
'En wat als je niet scoort?' vraag ik hem.
Jens antwoordt niet.
Hij vliegt als een pijl uit een boog op de bal af.
Ik denk dat hij een reuzenhonger heeft.

Korneel trapt bijna iemand het veld af

Jens stormt vooruit met de bal tussen zijn voeten.
Ik probeer het leer van hem af te pakken.
Het lukt me niet.
Jens glipt weg als een gladde aal.
Hij is nog maar een paar meter van het doel af.
Korneel staat vrij, vlak bij het doel.
'Hierheen!' roept hij naar Jens.
Ik ren naar Korneel.
Straks tikt hij de bal nog binnen.
Maar de bal gaat helemaal niet naar Korneel.
De bal lijkt wel vastgelijmd aan de voet van Jens.
'Geef een pass!' roept Miel.
Maar Jens dribbelt tussen de spelers door naar het doel.
Hij legt aan en schiet.
De bal gaat naast.
De vloek van Korneel knettert over het veld.
Enkele doelpunten later gebeurt het weer.
Jens krijgt de bal te pakken.
Korneel gaat diep.
Hij vraagt de bal.
Maar Jens is doof.
Hij spurt naar het doel en schiet.
Eén hamburger voor Jens.
Zijn mama juicht aan de zijlijn.

'Zo is er niks aan!' roept Korneel.

Hij schopt een kluit gras de lucht in.

'We spelen voor de ploeg,' zegt Miel tegen Jens. 'Niet elk voor zich.'

Maar Miel weet niks van die hamburger.

De training zit erop.

We lopen naar de kleedkamer.

Korneel stapt op Jens af.

'De volgende keer trap ik je echt het veld af,' zegt hij tegen Jens.

Deze keer lacht hij niet.

Verschillende liedjes

Met ons drietjes zitten we in de auto.
Papa, mama en ik.
We zijn op weg naar mijn tweede wedstrijd.
'Leuk,' zegt mama. 'Nu zie ik Marco ook eens spelen.'
Mijn hoofd doet pijn.
Ik heb heel slecht geslapen.
Ik had een nare droom.
De mama van Jens stond achter het doel te zwaaien
met hamburgers.
En ik trapte altijd maar naast.
Papa stond aan de zijlijn.
Hij schreeuwde heel hard.
Dat was vannacht in mijn droom.
Straks doet hij het misschien ook nog echt, denk ik.
Ik vraag me af of mama ook zal roepen.
Misschien brullen mama en papa allebei door elkaar.
Zoals twee radio's die een verschillend liedje laten
horen.
Welke kant moet ik dan uit?
Gelukkig heb ik een pleister.
Die zit in het zijzakje van mijn tas.
Ik heb hem er stiekem ingestopt.
Want papa mag niet weten waarvoor de pleister dient.
Anders moet ik duizendmaal oefenen wat links is en
wat rechts.

Twee

Ik sta op het veld.
De pleister zit om mijn duim.
Pleister is rechts.
Mama en papa staan aan de zijlijn.
Mama lacht en zwaait.
Papa steekt twee vingers op.
Twee.
Twee voeten.
Twee keer nadenken voor ik trap.
Twee doelpunten moeten die voeten maken.
Ik ren me te pletter, achter de bal aan.
Het veld lijkt groter dan de vorige keer.
Mijn hoofd weegt zwaar.
Er zit nog een restje droom in.
'Sneller, Marco!' roept de twaalfde man.
Mijn benen voelen licht aan.
'Pak hem dan, Marco!'
Twee.
Papa roept voor twee.
Want mama zwijgt.

Een ramp

Het veld is nat.
Het is een groene glijbaan.
Korneel glijdt uit.
Hij schuift tegen mijn benen aan.
Ik ga onderuit en val op de grasmat.
'Sorry, Marco,' zegt Korneel.
Ik kom vlug weer overeind.
Er zit gras tussen mijn tanden.
Waar is de bal?
Veel tijd heb ik niet.
Ik moet nog twee keer scoren.
Ik krijg de bal te pakken.
Ze zitten me achterna. Welke kant moet ik uit?
'Snel! Ga nou toch naar rechts, Marco!'
Ik zoek mijn pleister.
De wereld staat stil.
De pleister? Ik weet niet waar die is.
Maar hij zit niet meer om mijn duim.
Ik kijk om me heen.
Ik trap de bal maar wat voor me uit.
Papa wil dat ik rechtsvoor ga.
En het moet heel snel gebeuren.
Maar links wordt rechts.
En rechts wordt links.
Het lijkt wel alsof ik op een draaimolen zit.
Ik raak het noorden kwijt.
En de bal ook.

Stille auto, luide borden

De wedstrijd zit erop.
We blijven niet lang in de kantine.
Papa kijkt nors.
Mama wil naar huis.
'Wat ging er toch mis, Marco?' vraagt papa in de auto.
Ik weet het niet.
Het begon met de pleister, denk ik.
'Je moest gewoon rechtsvoor. Daar was ruimte zat...'
'Hou toch op,' zegt mama. 'Je brult dat kind nog
kapot.'
'Ik zeg al niks meer,' zegt papa.
Mama kijkt door het raam naar buiten.
Zo rijden we naar huis.
Thuis dekt papa de tafel. Zoals altijd.
Niet zoals altijd.
Hij gooit de borden op tafel.
Die luide borden vertellen dat hij heel boos is.
Op mij misschien nog wel het meest.

Voetbaloorlog

Er hangt ruzie in ons huis.
Zoals de vieze geur van spruiten.
Die raak je ook niet vlug kwijt.
Ik heb geen trek.
Ik prak mijn eten fijn, maar neem niet één hap.
'Toe nou, eet je bord leeg, Marco,' zegt mama.
'Straks moet je naar de training.'
Papa komt binnen.
'Ik breng je wel, Marco.'
'Nee,' zegt mama. 'Dat doe ik wel.'
Ze kijken elkaar boos aan.
Als tegenspelers op een veld.
Ik leg mijn vork neer.
Ik sta op en loop weg.
Ik weet wel hoe ik een eind kan maken aan die
voetbaloorlog.

Uien

Ik til het deksel van de vuilnisbak op.
Ik kijk naar mijn andere hand.
Daaraan hangen mijn voetbalschoenen.
Ik laat ze vallen.
Deksel dicht.
Weg training. Weg twaalfde man.
Weg wedstrijd. Weg oorlog.
Voetballen kan ik nog altijd.
Op het pleintje in de wijk.
Op het schoolplein.
Maar op het veld is het eigenlijk wel leuker.
Als er niemand brult.
Ik denk aan mijn mooie schoenen.
Zouden ze al naar uien ruiken?
'Wat doe jij daar?' vraagt papa.
'Waarom zit je nog niet in de auto?
En wat gooide je net weg?'
Hij kijkt in de vuilnisbak.
Hij vist mijn schoenen eruit.
Hij zegt niks, maar zijn ogen stellen vragen.
Opeens gooi ik er alles uit.
Ik vertel hem over links en rechts
en hoe moeilijk dat wel is.
Over de twaalfde man, die doelpunten wil.
Die een goede linkervoet wil.
En over de voetbaloorlog in ons huis.

Papa

Ik zwijg. De voetbal is nu van mijn maag.
Papa houdt mijn schoenen in zijn handen.
Er glijdt een uienschil af.
Papa kijkt naar de schoenen.
Dan kijkt hij naar mij.
'Dit heb ik nooit gewild,' fluistert hij.
Hij wrijft in zijn ogen.
Dat komt vast door de uien.
Mama ziet het ook.
'Weg met die twaalfde man,' zegt papa.
'Die wou te veel van jou. Dan is voetballen niet meer
leuk.'
Mama glimlacht.
'Dat wou ik je al die tijd duidelijk maken,' zegt ze zacht
tegen papa. 'Maar daar had jij geen oren naar.'
'Nu wel,' zegt papa.
Het blijft even stil.
'Ga je nou nog naar de training, Marco?'
Ik knik.
'Jij mag hem brengen,' zegt mama.
Papa geeft me mijn schoenen terug.
'Links en rechts? Is dat echt zo moeilijk, Marco?'
'Keimoeilijk.'
'Misschien kunnen we een keertje oef...'
'Nee,' zegt mama.
'Oeps,' doet papa. 'Daar ging hij bijna weer.
De twaalfde man. Ik kon hem nog net op tijd inslikken.'

Schatbewaarder

We staan in de kleedkamer, klaar om het veld op te
gaan.
Miel roept: 'Er is een probleem, jongens!
Onze doelman heeft zijn voet verzwikt.'
'Wie moet er nu in de kooi?' vraagt Korneel.
Hij wil liever op het veld lopen. En Jens ook.
'Wil jij in het doel, Marco?' vraagt Miel.
Ik knik. Dat lijkt me wel iets.
Ik krijg handschoenen om.
Die dingen lijken wel grijpkranen.
Daarmee pluk ik alles weg wat rond is en in de buurt
van mijn doel komt.
Wij zijn veel sterker dan de andere ploeg.
Hun arme doelman ligt onder vuur.
Ik heb er nog maar één binnengekregen.
Er gebeurt niets bij mijn doel.
Ik huppel heen en weer om niet te bevriezen.
Er klinkt gejuich.
Aan de overkant is er weer een tussen de palen beland.
Nummer acht, denk ik. Of negen.
Mijn grijpkranen hangen werkloos aan mijn armen.
Ik verveel me.
Ik verzin een verhaaltje.
Ik ben een schatbewaarder.
Ik bewaak een reusachtige schat.
Ik sta voor de poort.
In de verte dwaalt de vijand, op zoek naar de schat.

Kanonbal

Maar ik ben een sterke, slimme schatbewaarder.
Ik waak dag en nacht.
Ik loop heen en weer.
Overal loert het gevaar.
Misschien zelfs achter mij.
Hoorde ik daar geen verdacht geluid?
Ik draai me om.
Ik sta even met mijn rug naar de vijand.
En dan gaat alles heel snel.
Vanuit mijn ooghoek zie ik hoe een kanonbal mijn
poort ramt.
'Die staat te slapen op het veld,' hoor ik iemand
zeggen.
Er wordt gelachen.
Ik wil weg, het doel uit.
Mijn ogen zoeken papa.
Hij staat ergens tussen de andere ouders aan de zijlijn.
Zijn handen wuiven de woorden weg.
Zijn schouders zeggen dat het iedereen kan
overkomen.
De beste schatbewaarder eerst.
Ik neem mijn plaats terug in.
Mijn grijpkranen zijn er klaar voor.
De wedstrijd is nog lang niet gedaan...